草笛

池坊生花研究　伝花・変化形

監修＝池坊専永

著＝柴田英雄　池坊中央研修学院特命教授

本書は、平成12年3月に発刊された『草笛　池坊生花研究 伝花・変化形』の内容をそのままに、製本・用紙等の仕様を簡素化した新装廉価版です。

序

華道家元四十五世
池坊 専永

柴田英雄師は、故亀沢香雨師というまことに厳しい、しかし懐の深い先生に十五歳の頃から師事されてきた方である。凛とした姿勢を常にもち続けられた良き師に恵まれたことによって、今日の柴田師の生き方があり、その花があると思う。

良き師が良き弟子を生み出したのだと、しみじみ感じる。
五十年近くの歳月に、おそらく、故亀沢師の後ろ姿から視線をけっして外さず、苦楽をともにされてきた結果、現在の生花の感性を磨かれてきたのであろう。

池坊の生花は、草木たちの生命の表現であると同時に、それらとともに生きて明日へと希望を託す人間、さらに地球上で産声をあげた生きとし生けるものすべてが、宇宙に向かって届けようとする、美しいメッセージではないかと思い、私自身はいけ続けてきた花の姿でもある。

先達は、長い年月をかけて、草木たちとともに歩みながら、まさしく山野を自らの足で踏みしめ、立ちどまって、雨風や雪にさらされ、強い夏の太陽にも照りつけられながら大地から生育し、ふたたび土に戻る姿を確かめて、本

書にあるような伝花を、また季節や環境に順応する変化形という生花の心を、丹念に編み上げたと想像する。

わずか3本の役枝と数枝の補いの枝が、あるときはひっそりと、あるときははずみと勢いを見せながら変化していく。清楚でありながら、これほど豪華で贅沢ないけばなはない。言い換えれば、簡素に見えながら、一木一草をこれほどぎりぎりの極限にまで追求した美しい花の姿は、あり得ないとも考える。

それゆえに、いける者の心のありようが、時々の喜怒哀楽から、日頃見えぬ努力の積み重ねに至るまでが、その者の作品に映し出されてしまう。〈草木の自らなる姿〉とはすなわち、私たち自身の〈生命に賭ける姿〉そのものなのではないだろうか。

師の作品から、自らを律しながら、それでもひたすら花を愛しいと心をときめかせる初々しさ、艶やかさを、さらに伝統という形のない文化を、今も求めて止まぬ探究心を汲みとっていただきたいと願っている。

草笛

柴田 英雄
Hideo Shibata

芽ぶいた木々に花が咲き

風の誘いに花が舞う

こうして繰り返される生命の営み

無限に続く時の流れ

その中の小さな生命

花は理屈なく美しい

それは形を越えた、ひたむきな生命の営み

草木が描き出す真実の生命の輝き

いけばなは己が生命を草木にかさねてつくる共同作業

永遠に引き継がれて絶えることのない花の道

今その道をひたすら走り続ける

遠い日見た風景

目　次

池坊生花の響き——その歴史と流れ

柴田英雄

Ⅰ 日本の気候風土といけばな

　湿潤にして温暖な日本の風土は、多種多様な草木を育み、その姿は嫋々としてやさしく、美しい自然に恵まれた理想の国土であった。とくに春夏秋冬、四季の存在は平板な自然ではなく、変化に富んだ自然を形成し、春から夏へ、秋から冬へと移り変わる季節のなかで折節の花々が咲いては散り、散っては咲き変わる姿に接し、常住ならざるありのままの自然の姿に、ともに生命をもつ者としての共感を草木の中に見出したのである。その生々流転の相は人間そのものの姿であり、草木との交感のなかに「草木即吾、吾即草木」という人間観照の態度がつちかわれていったのであろう。日本のやさしく美しい自然はそこに住む人びとの鋭敏にして繊細な感性を養い、やがて身のまわりの草木を用いて己が心を表現する、いけばなという日本独自の文化を生み出していったと思われる。

Ⅱ いけばなの起源〈二つの源流〉

⑴はじめに——日本人とその自然観——

　農耕民族であった私たちの先祖にとっては、春に蒔いた種が発芽し、秋には収穫が約束されている草木はまさに神のあたえた恵みの贈り物であった。私たちは、生命の糧を生み出す自然の恩恵に

日本人の原風景
水車のある風景

西穂高を望む風景

終戦間もない京都・四条通り。祇園祭りの山鉾と市電が走っている

古代神祀を残す
清荒神の神祀り

鳥獣戯画の供華（高山寺）鳥羽僧正の作と擬せられる。12世紀半ばの制作

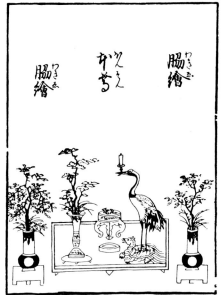
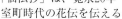
「仙伝抄」より坐敷飾りの図（池坊総務所）。「仙伝抄」は、寛永20年（1643）の刊行。室町時代の花伝を伝える

仏前供華の様式を今も残す盧山寺の地蔵尊

どんなにか感謝したことであろう。一方、天変地異のごとく人間生活を脅かす自然の破壊力に対し恐れおののき、そこに神秘力の偉大さも感じたに違いない。それゆえ、雨露風雪に耐えてなお生々発展する草木を、聖なるもの、神や霊力の宿るものとして畏敬してやまなかったのである。このようにわが国の人びとは草木に宗教的な感情をもち、畏怖の念を寄せながらともに生き続けていた。

⑵二つの流れ

①仏前供華と坐敷飾り

　6世紀に仏教が伝来するや、こうした民俗信仰と結びついて仏前供華が盛んに行われるようになり、室町時代に独立して坐敷飾りとしてのいけばな「たてばな」が誕生する。「たてばな」はやがて「立花」、さらに現代では「立華」からふたたび「立花」として世の移りとともに様相を変え今日に至っている。

　こうした草木の神聖視を源流に供華が生まれ、「供華」から「たてばな」へ、「たてばな」から「立花」へ、「立花」から「立華」、さらに「立花」へと一連の流れを一つのいけばなの源流とする一方、供華とは別に花そのものの美しさが人びとに親しまれ愛されてきた。

②花と詩歌──平安時代を中心に──

　平安時代以前は、花といえば梅を指したといわれている。「梅の花いま盛りなり思ふどち挿頭（かざし）に

ほころびはじめた梅

してな今さかりなり」「ももしきの大宮人はいと
まあれや梅をかざしてここにつどへる」梅の小枝
を手折り、髪のかざしにのどかな一日を過ごした
様子が窺える。女流文学、仮名文学の世界、かつ
宮中を中心にして栄えた平安時代、枕草子には「勾
欄のもとに青きかめの大なるすゑて桜のいみじく
おもしろきえだ五尺ばかりなるをいとおほくさし
たれば……」と、花を瓶花として賞美する風潮が
盛んになるにつれ、花瓶や飾り場所への配慮がな
され、次第に花への関心が高まっていったのであ
る。平安時代には花合わせ、前栽合わせ、草合わ
せのような典雅な遊びとなって貴族社会に根をお
ろし、発展する。また、鳥羽殿の前栽合わせの和
歌「あだしのの露吹きみだる秋風になびきもあへ
ぬをみなえしかな」がある。このように和歌をと
もなうことによって、草花への関心や観察がさら
に深まり、季節感とともに花への美感も鋭くなっ
ていった。いけばな誕生の素地はこうして育まれ
ることになる。

　鎌倉期を経て、室町時代にいけばなの誕生を見
るのであるが、供華から「たてばな」が発生し、
「たてばな」が正式の花、式日の儀式の花、表の
花となったのに対し、略式の花、楽しみの花、裏
の花としての抛入花の源流は、こうした美しさゆ
えの観賞花に端を発していたのではないだろう
か。

慕帰絵詞（西本願寺）

六角堂山門

天文時代の立花図（池坊総務所）
天文14年（1545）5月11日の奥書をもつ専栄伝書
の中に見える立花図

専応口伝（専応花伝書）（池坊総務所）

二代専好立華図（若松真）（池坊総務所）
初代池坊専好に続き、二代専好は立花の名
人と録され、寛永五年（一六二八）頃から
宮中花会などに立花を飾る。その九十三瓶
図は重要文化財

Ⅲ たてばなと抛入花

(1)表の花「たてばな」と裏の花「抛入花」

　いけばなの発生は、このようにして室町時代に
よって花開くのであるが、発生当初より二つの傾
向に分かれるのである。一つは客招請の正式の花、
式日の花、表の花として「たてばな」があったの
に対し、もう一つは自分自身の楽しみの花、法式
とてない略式の花、裏の花としての抛入花の方向
である。

(2)池坊専応の出現

　初期「たてばな」は、初め本木と下草によって
構成されていたが、より美しく、さらに美しくの
欲求が高まり、造形的な追求がなされ、下草は六
つの役枝に分化され、七つの役枝によって構成の
骨子が設定されるようになる。室町末期、天文年
間には池坊専応の出現により、構成面においても、
内容的にも一段と深められ美しさのみならず風興
の花、求道的な花へと高められ、「たてばな」も
「立花」の様相へと歩みを進めていく。

(3)専応以降、二代池坊専好の出現

　専応の後を継いだ専栄、初代専好、二代専好、
この三代によって池坊立花の確立を見るのである
が、安土桃山の絢爛豪華な風潮の反映と、城郭建
築とあいまって花形の大形化がなされることにな

る。江戸初期、寛永期に入るや公家文化との合体により、品位に満ちた作風を呈するのである。

⑷抛入花の流れ

①茶と花の関係

　一方、抛入花は安土桃山の頃、侘びの茶の湯の流行とともに茶室の花として盛んに用いられるようになる。もともと法式とてない気楽な花として生まれたものであり、つくらない木地の姿を尊ぶ風潮が侘茶の精神とも相通じ、茶人の間に広まっていったのである。立花の大成者二代専好も、寛永14年（1637）近衛邸で開かれた茶会に亭主にかわり花をいけ、金森宗和に見破られたと「槐記」にあり、立花者である専好も茶花をいけていたことが窺える記述である。

②花伝書に見る抛入花

　室町末期、永禄10年（1567）池坊専栄により「専応口伝」に「生花の事」の項が加えられており、「生花のことさだまりたる枝葉はなし、先さし合を嫌ふ也。出生の姿肝要也」とあり、生花という言葉がはじめて使われ、「たてばな」とは明らかに異なるものであることが解る。いけばな発生当初より「たてばな」と「抛入花」の二つの流れがあり、時代の推移に従いながらあるときは表となり、あるときは裏となって変遷していったのである。

茶室の花。1997年北野天満宮ずいき祭、献茶祭から（表千家）

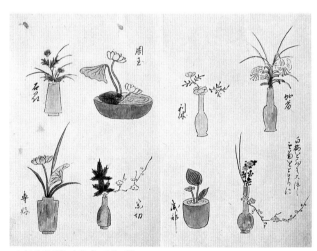

三斎公物語（重森三玲氏）

池坊生花の響き

◆

12

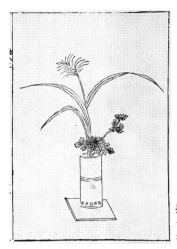

抛入れ花の図
十一屋太右衛門「抛入花伝
書」より（池坊短期大学）

藤掛似水　抛入れ花の図
「花伝大成集」より
（重森三玲氏）

抛入れ花の図
藤掛似水「抛入花伝
書」より（重森三玲氏）

Ⅳ 生花の成立と普及

(1)生花の発生

　立花は二代専好によって大成されたが、没後その弟子たちによって受け継がれ、愛好者の増大と印刷技術（板本）の発達により啓蒙書（花伝書）が数多く刊行され、未曾有の盛況をきたした。元禄期には池坊専養によって、時代相を反映した華麗な作風の立花を展開させたのであるが、富裕な町人の台頭といけばなの大衆化が進むにつれて、その主流であった立花も江戸中期（明和、天明年間）あたりからかげりを見せ、その主流を生花に明け渡すことになる。

(2)庶民の花としての「生花」の発生

　いけばなが一般庶民へ普及し流行するということは大衆化を意味し、立花では少し大仰であり、経済的、時間的、飾る環境的にも安易な方向が好まれたのである。かといって抛入花は本来楽しみの花であり、裏の花で安易に過ぎ品位に欠けるということで、その中庸的なものへの欲求が高まり生花の成立を見ることになる。

(3)諸流の発生と池坊

　江戸中期には、新しく生花の流派を名のって独立する者が続出する。しかしこの生花も、江戸中期に突如として生まれたのではなく、立花と平行

して抛入花も新たな研鑽、努力によって新時代に
即応すべく変革が試みられてきたのである。以下
順を追うと、

○天和4年（1684）「抛入花伝書」十一屋太右衛門
著刊行。

○元禄元年（1688）藤掛似水、猪飼三枝が生花や
抛入花の工夫をこらす。

○元禄8年（1695）池坊専養が毛利作右衛門に「生
花之次第」を相伝する。

○同11年（1698）「古代生花図巻」を相伝する。

○寛延3年（1750）池坊専純は自作の生花図の写
しに跋文を書く。ほぼ生花の様式的完成を見る。

○安永5年（1776）池坊専弘、立華五十図、生花
五十図を撰し、将軍家に献上する（「関東献上百
瓶図」）。

○文化元年（1804）池坊専定は生花図集「百花式」
を刊行する。このころ松竹梅、三ヶ船、桜、紅葉、
七種、定式巻、廻生巻などの生花伝授が行われる。

○文化5年（1808）池坊専定は門弟の生花図集「後
百花式」を撰す。

○文政3年（1820）池坊専定、自作の生花図集「挿
花百規」を著し生花の規矩の梗概を示す。

○天保3年（1832）このころ池坊専明「生花株要
記」を著す。正風体の骨子となる。

　以上抛入花の変革と生花様式成立への移行を、
年譜とその花図を見ることによって明確に読みと
ることができる。

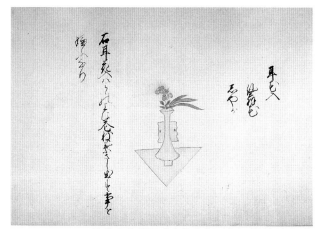

池坊専養校閲「古代生花図巻」（池坊総務所）

池坊専純「生花」江戸時代中期
（西川一橙氏）

明和・安永のころの池坊生花
「関東献上百瓶図」より
（池坊総務所）

池坊専定「百花式」
（池坊総務所）

池坊専定「挿花百規」
（池坊総務所）

池坊専正　「生花集」
（池坊総務所）

池坊専明　「生花集」（池坊総務所）

⑷池坊専定の生花

　とくに、文化文政のころ活躍した専定によって池坊生花は大成を見る。息づく草木の姿によって千変万化する姿がとらえられ、気品に満ちた味わい深いその作品はまさに生花の鏡ともいうべきものであり、陰陽＝躰の枝の対応によって草木の生命の営みがみごとにとらえられている。専定の作風は一定の型にはまったものでなく、その時々の枝ぶりによって変わるものであって、よほどの修練を積んだ者でないとなしうることではなかったものと思われる。

⑸正風体生花の規範──池坊専明、専正

　千変万化に変化する専定の作風が伝習者の間に広まるにつれ、乱れた作品も出たためであろうか、四十一世池坊専明はこうした傾向を正すためか「方円規矩あらずんば即ち成らず」と述べられ、「生花株要記」を著し正風体生花の規範を示したのである。明治維新のさ中に代を継いだ専正は、維新による外来文化の嵐と排仏毀釈（はいぶつきしゃく）による大打撃を受けながらも、新時代に即応する指導形態の確立と理論的体系の整備をなし、明治20年には女学校に出かけ、学校教育の一環にいけばながとり入れられるや、池坊の生花は全国津々浦々に広まっていったのである。

(6)学校教育といけばな

　女学校を対象としたこともあり、女性の教養並びに良妻賢母の育成という国政ともあいまって、いけばなの主流が女性中心のものとなっていったのもこの時期からである。戦雲急を告げる昭和前期の戦争下にあっても、女性の教養として引き継がれ継続されていったのである。

(7)新しい時代の生花──三種生けの出現──

　昭和20年（1945）敗戦により日本全土は灰燼に帰したが、こうした中にも心の安らぎを求めた人びとによって、ふたたびいけばなは復活を見たのである。敗戦は思想のコペルニクス的転回と、戦争の暗い苦しい時代からの開放と平和を望む人びとの心理的変革は華やぎを求める風潮となり、生花も大きく様相を変えていったのである。いわゆる三種生けの出現がそれで、従来の生花の規矩性を活用していけられるが、その形や表現には自由性があり多様な美の表現が可能なため飛躍的な発展をとげた。

(8)現代──池坊専永宗匠──

　昭和52年（1977）池坊専永宗匠は、美と和の殿堂池坊ビルの完成を機に、大きく移りゆく生活環境や外来植物の渡来と、園芸技術の進歩による花材の変革、さらには美意識の変遷に対応し、新時代にふさわしい明るさ、鋭さ、際立ちと明日に連

明治初期の稽古風景「柳外蛙声」（池坊総務所）

明治半ばの女性たち

柴田英雄作　三種生け

正風体生花基本図

竣工間もない池坊ビル
（昭和52年）

池坊専永宗匠作　生花新風体

池坊由紀作　生花新風体

なる新しい生花美、心をいけるいけばなを提唱され、生花新風体を発表されたのである。今や新風体はシャープでシンプルな中に生命体としてのその響きと輝きをもち、現代人の心をしっかりととらえて大きく発展の一途をたどっている。

Ⅴ　生花の本質

⑴伝書に見る生花の本質

生花の主なる伝書の中から、生花の本質を探ってみよう。生花という言葉がはじめて登場するのは、専応の後を受け継いだ専栄の花伝書（元亀2年奥書　1572年）であり「生花のことさだまりたる枝葉はなし、先さし合を嫌ふ也。出生の姿肝要也」草木のもつ性に従い素直にいけるようにと、池坊の伝統的な方向が示されている。

「抛入花伝書」天和4年（1684）十一屋太右衛門著「生というはとかく一種一種の出生をたづね木草のありつきかなふように入るを生といふ」

「華道全書」享保2年（1717）「花葉枝ともにいきおいのつよくりんとはずみたるがよし」

現行伝書「生花巻　花に生死有事」の項に「輪のそむきたる物又うつろいたるを死といふ。枝葉も同事、出生の体に叶ふを生といふ。されば生花といふ根本なり」

「生花巻　生華の次第」の項に「立花の心にて抛入は悪し、抛入は式法無き物也。其花の出生の躰

生花巻
〇生華の次第
一、抛入花といふ事根本立華より出し事なり其出所の躰
一、御成餝の時押板に三幅一対掛。中立花有。脇の掛物の前に。対の立花あり
一、四幅対の掛物の時。対の立華。右の尊の前に卓。其上に三具足。香箱。香匙。火箸立有。三具足の瓶に真の立花有。

生花巻から

に叶ふ様に入る事也。何の道にも花生るといふ事出生の心を見立て入る事也」

「定式巻　生花濫觴の事」の項に「根本立花より出る。立花には七つ道具有り。枝葉多く用ふる也。抛入は是れを略し、陰陽数二本を躰とす。即席の事也。事少なきによりて意味かへって深し」

「廻生巻　生花の事」に「規矩を定めて賞すといへども天地雨露の恵みを忘れ草木の弁なく。雑説に迷ひ、己が作意を以て人を迷わす事恥敷事也。真は出生の事第一に心得。花葉の位を守り当意即妙専一とし。陰方陽方、上座下座、客居、主居、是れを初めの定法に心得初心稽古の輩、一瓶の姿に真副体をかたちどり」とある。

　専明の「生花株要記」に「おのづからなる趣きを安らかに生くべし」と述べられている。

(2)生長の姿

　以下主な伝書の抜粋により生花の本質を考察してみよう。

①出生の尊重。

　草木にはそれぞれ生まれながらの性と、身は動くことのできない運命の中に棲息していて、育つ環境によって大きく異なりを生ずる。その草木を深く洞察して、自然の持ち味を生かすことが肝要である。

②生命の証をいけ表す。

　生命体としての凛としたはずみと、無理のない

一、花に生死有事。輪のそむきたる
一、もろ飾り花の事。此花は真の抛入なり。枯たる物嫌う
又かげの移る心持有べき事。黄なる花悪し。夜るは白き花と見ゆる故なり
物又はうつろいたるを死という。枝葉も同事。出生の躰に叶うを生という。されば生花という根本なり
一、祝儀不祝儀という花の事右同事なり祝儀には。木末切とめたる物は悪し

生花巻から

○生花定式
一、生花濫觴の事
根本立花より出る。立花には七つ道具有り。枝葉多く用うるなり。抛入は是を略し。陰陽数弐本を躰とす。即席の事なり。事少なきによりて意味かえって深し。花の高さ花器一丈け半。見立なきものは二たけにも草木とも左りの前隅えふり生るか。右の前隅えふり生るか。直に生るか。真の生花立華と対する事有り。

定式巻から

廻池巻
○生花の事
生花立華より出る。上古より都鄙貴賎賢愚となく。規矩を定て。賞すといえども。天地雨露の恵みを忘れ。草木の弁なく。雑説に迷い。己が作意を以て人を迷はす事恥敷事なり真は出生の事第一に心得。花葉の位を守り。当意即妙専一とし。陰方陽方上座下座客居

廻生巻から

旧家元道場の床の間（本勝手）

双葉

明日開く蕾

開花

さまざまな状態を示す薔薇
_{ばら}

はずみ

枯れゆく生命

柔軟な息づく生命をとらえる。草木は光を求めて枝葉をのばし、枝葉がかち合ったり擦り合うことはない。大気の中でゆったりと息づいている。

③至純性を追求する。

　事少なきによりて意味かえって深し。余分なものはとり去り、少なき枝葉が充分に働くことであり、少なきものにて多くを語り、小において大を瞬時において永遠を表す。生花はまさに粋の極みである。

④規矩性と自由性の狭間_{はざま}が芸の究極である。

「規矩を定めて賞すといへども……当意即妙専一に」とあり、ともすれば正風体生花は草木の持ち味を忘れ形式と技巧にとらわれて定形化に陥りやすく、個性豊かな味わい深い作品を生むことが困難である。その花材のもつ持ち味を生かすことが肝要である。

⑤生花は小枝でもって一木一草の全体像をかたちどる。

　一株、また二株の草木が、環境に対応する姿勢の中に見られる生命の働きを表そうとするものである。

(3)生命ある姿の表現

　以上、伝書をたよりに生花の本質、特徴を拾い上げてみたが、再度いけばなとは何なのか、とりわけ生花とは何だろうかを考察したいと思う。

　草木は身は土に根づいて動くことのできない宿

命を荷負いながら光を求め、生長することによって周囲の環境とのみごとな調和を保ちつつ自然の摂理に従い、秩序に生きる不思議な生命力をもっている。その生命力には、驚きにも似た感動がある。草木を切りとる作業は、こうした保たれていた秩序を破壊することに他ならない。いけばなは壊された秩序をふたたび花瓶の上に組み立てとりもどして、さらなる生命を吹き込む作業である。現実には一塊の小枝にすぎないものが、一個の生命体としての形がととのえられ、生命の鼓動の聞こえる生命体として再生するのが生花である。さらには生命体が醸し出す雰囲気や、大気に波及する気配を感じるとき、その草木の息づかいや声なき声、さらには目に見えない背後の情景までも感知できるときこそ生花の究極を表現し得たといえる。いうほど簡単な作業ではない。永い修練と、たゆみない精進のいる仕事である。芸は果てしない旅路であり、完結のない旅である。

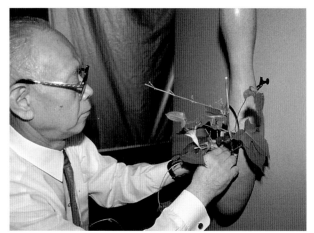

著者の制作風景

参考文献：
『いけばな──花の伝統と文化』美術出版社
『生花鑑賞の手引き』主婦の友社
『池坊歴代家元花伝』講談社
『いけばなの伝書　図説いけばな体系6巻』角川書店

第一部 ◆

◆ 伝花

◆

伝花について

池坊における「伝花」とは、池坊に入門した門弟が
初伝、中伝、そして皆伝と昇進するにしたがって、
池坊の華道家元宗匠から免許される伝書に記してあ
る生花を伝授されたその「生花」をいうのである。
たとえば初伝の免許が授けられた門弟は、五ヶ条、
七種伝があたえられ、そこに記載されている花が伝
花である。そこには華道家元宗匠が相伝なされるも
のであるから、奥深い芸の秘伝がかくされている。
「生花五ヶ条」とは、松竹梅、桜、紅葉、三ヶ船、
実物、葉物、蔓物のいけ方である。「七種伝」は芭
蕉、蓮、水仙、万年青、椿一輪生け、牡丹、朝顔
の生花である。この他、かつて基本形から一歩進め
た口伝花、変化形として存在した生花別伝を、四十
三世専啓宗匠の時代に伝花として加えたものを伝花
というのである。

真の松竹梅

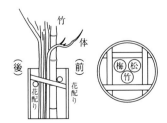

花材●若松、竹、梅

　格調の高い真の花で、井筒配りでいける。本来、松竹梅の切れ端で井筒をつくるが青竹でもよい（図、右側参照）。竹は通用物でいちばん前に挿し、節の総数が奇数で、水際３センチのところに節を見せる（図、左側参照）。

真の松竹梅

花材●松、竹、梅、若松で真副に用いた例

三つの花材の配置によって数十種の組み合わせができるが、大別して松真、竹真、梅真の三つに分けられ、若松真を真の松竹梅、隈笹を根〆にしたものが草の松竹梅であり、その他は行の松竹梅である。

行の松竹梅〈松真〉

花材●松、竹、梅

梅を左右にふり分けているが、挿し口の根元はそれぞれ区分していける。

行の松竹梅〈竹真〉

伝花

◆

26

花材●松、竹、梅

竹の笹は三段が普通であるが、寸法の関係で二段でもよい。

行の松竹梅〈松真〉

花材●松、竹、梅

松竹梅の花形は真と行で、草の花形は〈釣り、掛け〉はなく、花器も真行の花器を用いる。

行の松竹梅〈竹真〉

花材●松、竹、梅

細い四方竹を用いているので、二本用い、節の数は奇数とし、いちばん前の竹の節を水際
より3センチくらいにして、後ろに用いた竹の節をそれより高く用いるのが約束である。

行の松竹梅〈竹真〉

花材●松、竹、梅

竹真の松竹梅である。真の竹の節は奇数で、水際3センチのところに節を見せなくてはならない。しかも花器との調和をはからなければならず、ちょうどよい竹を探すのが大変である。笹枝も三段が望ましいが、ほどよいものがない場合は二段でもよいことになっている。体の老松にも三儀を込めたいものである。

花材●松、竹、梅

副の竹を陰方に大きくふり出し、副に対応して正規の陰方の体を陽方に用いた左体の松竹梅である。

行の松竹梅〈梅真〉

花材●松、竹、梅

松竹梅は生花にあらず、立花にあらず、中間の花といわれ、この作品のような竹の位置を立花の名称として用いられている胴と呼んでいる。真に梅、体に老松を用いた例である。とくに老松の体は難しい。竹の後ろから前にふり出し、水際を乱さず、笠松も三段に見せたい。

草の松竹梅〈隈笹の根〆〉

花材●松、竹（隈笹）、梅

隈笹の根〆は、草の松竹梅なので井筒でなくてもよく、ときには又木配りでもいける場合がある。この作品は井筒配りである。

出船

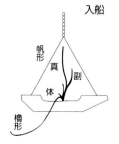

入船

帆形

真

副

体

櫓形

花材●連 翹（れんぎょう）

出船と入船は釣船で、泊船は置船であるが、出船とは舳先が向かって左
にあり、本勝手の花をいける。入船は、舳先が右にあって逆勝手の花を
いける。船の役枝には櫓形、帆形と呼ばれる特殊な名称のものがある。
櫓形は、体流枝のような体を強くした形で、体の後ろより流す。釣船の
器は、本来は節の少ない竹で作られ、弦は舳が一本で艫が二本。弦の内
は正三角形になるのが望ましい。

花材●蔓梅擬(つるうめもどき)、杜鵑草(ほととぎす)

根〆の体を入れ、次に櫓形、帆形の順に挿していく。現在では、根〆を用いない一種生け
の場合も、この順番に統一されている。

入船

花材●猿猴草

船を釣る場所は、床の中央より3センチほど下座（床柱のほう）に寄せて釣る。高さは100〜120センチを目安に、座して水の見えない位置である。近海を渡航する船は低く、遠海を渡航する船は高く釣る。

伝花
◆
36

花材●深山南天、アゲラツム

船の釣りひもは艫のほうが二本で、舳先のほうが一本で、正三角形になるようにつける。
根竹は別として、櫓形が竹の節をよぎらないようにいけることが肝要。

入船

花材●露地菊

釣船の帆形は、十分風をはらんだ姿につくりたいものである。また、釣りひもの内部の空間の配分が大切である。

｜泊船｜

花材●水仙^{すいせん}

泊船は、港に入って休んでいる船を象って、ひっそりといける。帆を下ろした帆柱の形を思わせるよう、真副体の花形をごく細くいけ、船の幅より出ないようにいける。通常、水仙の二本生けは井筒配りでいけられるが、井筒配りは水の象徴でもあるため、船の場合は行の又木配りが好ましい。

|泊船|

花材●九蓋草
(くがいそう)

泊船は、港に停泊する姿を象っていけたものであるが、「渡海の心にていける」とあり、
止まっていても走っているようということは、舳先が向かって左に向いていれば本勝手、
右を向いていれば逆勝手にいけよという意味である。

|伝花の桜|

花材●桜、松

「籠ニハ薄板不用」と伝書にあり、籠の場合は薄板を用いない。椿は一輪を賞で、桜は全体を見つめて美しいものである。したがってたっぷり豊かにいけることが大切。作品は、真に糸桜を用いたもので、副と体は山桜を用いたものである。

伝花の桜

花材●山桜、老松

大花瓶か手のない大籠にいけ、大樹や全山に咲く姿を思わせるようにたっぷりといける。
真は蕾、下段は開花を用い、苔木一〜二本を用いていける。松一本を、桜を挿し終えたい
ちばん後ろ陰方に挿す。副下に五〜七輪裏花を用いる。

花材●紅葉（もみじ）

紅葉は楓のことで、日当たりのよいところから順に紅葉し、日陰のほうは黄葉、青葉が自
然であるため真副は色濃く、下段陰方は黄葉から青葉を用い、曝木一〜二本を用いる。桜
同様大樹を思わせるようにいける。

花材●紅葉

紅葉は撓めることができないので、枝を切るときから枝ぶりや器との調和を考えて採集することが大切である。ときには、白玉椿を根〆とすることも許されている。

|紅葉|

花材●紅葉

桜と対称的に、秋の代表的ないけばなである。桜には苔木、紅葉には曝木を用いることに
なっている。苔は質感的にも色彩的にも、ほのぼのとしてあたたかい。それに比較して曝
木は厳しく、寒々とした感覚がある。秋の冷気とともに色づく紅葉には、じつにふさわし
い。先人の感性に改めて驚嘆する。

芭蕉

花材●芭蕉

芭蕉は草に近い通用物で、葉のみでいけるため華やぎに欠け、祝儀の席にはいけないことになっているが、大葉物で色が浅緑ですがすがしく、初秋の花としてはなかなか味わい深いものである。風叩きの葉といって、前あしらいの葉を風によって破られたように、数ヵ所裂くのが習いである。

花材●芭蕉

芭蕉は、二株で形を決める。一株で巻葉のあるもので真をつくり、付き葉で副をとる。もう一株の巻葉で体真をつくり、他の付き葉で体の部を構成する。

花材●蓮

蓮は巻葉、開葉、鐘木葉、朽葉、浮葉の五種類と、花は蕾、開花、蓮肉の三種類でいける。

花材●蓮

仏教とも深いかかわりをもち、過去、現在、未来の三世を表す。巻葉と蕾が未来であり、開葉と開花が現在、朽葉と蓮肉が過去である。

| 蓮 |

花材●蓮

いけ方は、葉でおおよその形をととのえる。大きな開葉を真、中の葉を副、小の葉を体とし、中段には半開きの鐘木葉を用い、その他に巻葉四～五枚大小を選び、適当にあしらいとして用いる。陰方下段に朽葉、陰方水面に浮葉を浮かべ、浮葉の茎は花留の最後方に挿す。開花は体に、蕾は真にあしらい、蓮肉は副に用いる。

花材●蓮

蓮の生花は撓めがききにくいので、自分で池に行き見て、そのできあがりの姿を構想した
うえで採集してこそ、理想の姿がととのうものである。

水仙(逆勝手)

前から見る袴　横から見る袴

袴は高い部分を
手前にして用いる

花材●水仙

水仙の花は葉の和合の中に生じ、葉は二枚ずつ向き合って、通例四枚が
一株となっている。葉は株の部分から葉先まで、右ねじれに一回ほどね
じれているのが特徴。根元には白根(袴とも呼ぶ、図参照)があり、この
白根を利用し、葉の長短をつけ花律をととのえる。白根は高いほうを前
に用いる。

水仙(本勝手)

花材●水仙(すいせん)

水仙の性質上陰地を好むことから葉配りに注意し、前を短く後ろを長く、陽方を短く陰方を長い姿にととのえる。そのため前副となる。また水仙は、二本生けと三本生けがあるが、二本生けのほうが品位もあり清雅な姿である。したがって二本生けの留め方は井筒配りとなる。三本生けは略式となり又木配りでもよい。

水仙(逆勝手)

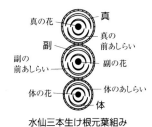

真の花 — 真
　　　　真の
　　　　前あしらい
副
副の
前あしらい — 副の花
体の花 — 体のあしらい
　　　　体

水仙三本生け根元葉組み

花材●水仙_{すいせん}

三本生けの場合は、普通の役枝の挿し口と異なり、副を真の株の前に挿し、後ろにふり込む。ときには二本生け同様前にふる場合もある。白根は体の白根を水面より1.5センチほど見せ、後方にいくほど少しずつ高く用いる。葉には白い粉状のものがあり、清雅なものである。この粉を取り去らないように注意していける。

水仙（本勝手）

花材●水仙（すいせん）

葉の長短が丈比べにならぬよう。また一枚一枚の葉がありありと見え、隙に広狭がないよう下のほうまで空間が見えるようにいける。また三本生けの葉組みも「ちどり」と「だんだら」組みの二種類があり、水仙の長いもの、短いものなどの関係を考慮して選択する。この作品は「だんだら」組みである。

水仙(逆勝手)

花材●水仙、金盞花

水仙は、1月末には残花となり、本来の水仙のよさをなくすので、他の花の根〆に用いたり、水仙の根〆に金盞花、福寿草などを用いることもある。

水仙（掛生け）

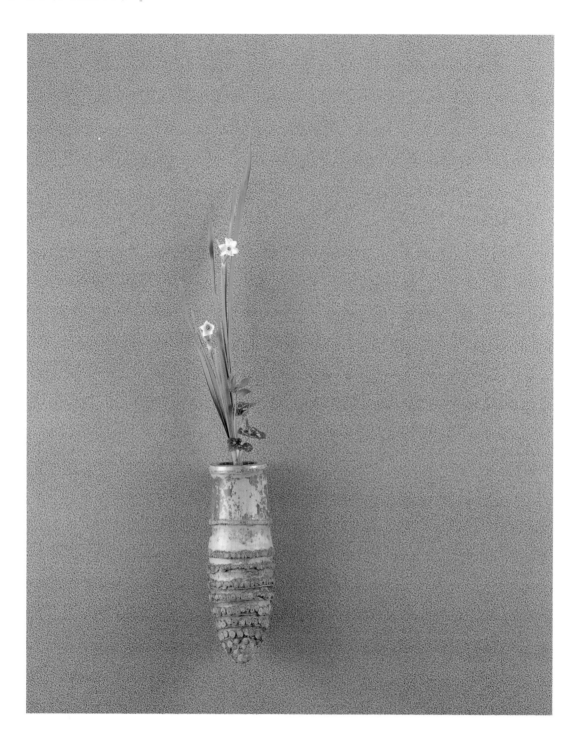

花材●水仙、シクラメン

１月末頃の水仙は、残花のため掛生けにすることもある。

|水仙|

花材●水仙、金銘竹

水仙の葉組みは、前短後長が普通。残花の頃他のものの根〆に水仙を用いることがあるが、この場合の体は、体先を十分働かすために前長後短としてもよい。

万年青

花材●万年青(おもと)

八枚生けの万年青で、古葉と新葉の適当なものを選び、立葉、露受葉と、立葉前あしらいと陽方後あしらいが新葉で、前葉、流葉、流葉あしらいと陰方中段の葉が古葉で、その間に実を置く。石穴に挿して形をととのえ、実を挿し込むとしっかり固定して留まる。花器は雪月花の皿で、置き生けのときには松風と呼び用いる。万年青にはよく調和する。

黒色－古葉
白色－新葉

万年青

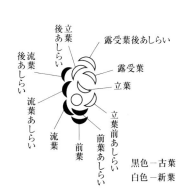

立葉
後あしらい
後あしらい
露受葉後あしらい
後流葉
あしらい
露受葉
流葉あしらい
立葉
立葉前あしらい
流葉
前葉
前葉あしらい

黒色—古葉
白色—新葉

花材●万年青

十枚生けの万年青である。万年青は昨年の五枚と今年の葉五枚との間、新葉の和合の外に実をつける。したがって用いる葉数は偶数となり、実を加えて奇数になる。またその出生に従い、特殊な花形と名称がある。立葉(真)、露受葉(副)、前葉(体)、これに流葉を加え四つの役枝とあしらいでととのえる。

|万年青|

花材●万年青

万年青は、偶数枚の葉と一個の実を用い、総数で奇数となる。したがって六枚〜十二枚ま
で用いていける場合がある。この作品は十枚を用いたもので、八枚生けのものに真の前後
に一枚ずつ計二枚を加えればよい。新葉と古葉は五枚ずつとしてもよいし、新葉六枚、古
葉四枚にしてもよい。

花材●朝顔

朝顔は、早朝露を含んで咲き、午頃には萎んでしまう。はかないものである。即席にいけることは無理で、前日いけ込み一晩夜露にあてておくと、朝には蔓先も葉も花もすべて上向きになっていて、都合のよいものである。

朝顔

花材●朝顔
（あさがお）

朝顔は左巻の蔓物であり垂れ物であるから、もっぱら懸崖の姿にいけ、掛け、釣り、二重切りの上の重か尺八の置き生け等にいけるとよい。その蔓は、独立で立たないので、支柱に竹か萩の枯れ枝と伝書にはあるが、それも最近は得難いので適当な枝でよい。

朝顔

花材●朝顔（あさがお）

朝顔をいけるには、蔓は三本か五本くらいで、あまり多くてはそのやさしさがなくなる。体はいつも葉でととのえて蔓を用いず、開花を一輪そこに置く。蕾は定めとてなく二～三輪を適当に配置すればよい。開花の輪のうちに、冷水を一～二滴入れておくと長持がしてよい。

朝顔

伝花

◆

64

花材●朝顔

近年すべての植物の品種改良が行われ、大輪種が多い。しかしいけばなには、小形の原種
のほうが野趣があり好ましい。この作品は原種ではないが、花は小形で船に調和しやすい。
色はやはり空色がよい。鎖内の空間にうまく配分することが大切である。

花材●朝顔
古来より、船に入れたものを見るが、軽やかで竹との調和もよく風情がある。

| 朝顔 |

伝
花

◆

66

花材●朝顔

唐物籠で、朝顔と調和してなかなか味わい深い。

花材●朝顔

尺八花筒に軽やかにいけたもので、朝顔のやさしさとあいまって調和のよいものである。

花材●白玉 椿
（しらたまつばき）

椿一輪生けは、幹一本に花一輪、葉は三枚半という省略の極致を尽くした花である。下に
大きな葉で、上にいくほど小さい葉を用いる。あまり丈を高くすると間伸びし、低すぎて
も息苦しい。材料の選択採集が肝要である。卓下にもいけるが、小さく空間がなくなるの
で高卓がよく、50〜60センチが必要。

椿一輪生け

花材●白玉 椿
<ruby>白玉 椿<rt>しらたまつばき</rt></ruby>

花器は、卓下などには背のあまり高くないものを用い、単独にいけるときは、細長い一輪
挿しのような花器がふさわしい。

伝花

◆

69

花材●白玉 椿

葉は三枚半ということを配慮して、よい枝ぶりを選び、枝のいちばん下の葉で体先を見つ
くろって花を置き、次に副になる葉を一枚選び、副に枝が働く場合には、葉はあしらいと
する。真は葉でつくろい、あるいは真の先を新芽でつくろえば、葉はあしらいに働かせる
が、このままでは葉が総数四枚となるので、律その他の条件を考え、体以外の一枚の葉を
一枚の力に満たないものとする。

牡丹

花材●牡丹

牡丹は、華麗なる姿から花王ともいわれ、三通用の代表である。真には蕾を、開花は体に
用いる。二輪でいけるを原則とする。成長が遅く花茎の長いものが得にくく貴重なため、
枯れた枝を真の代用としたり、同色の花のないときは二色を用いてもよく、他に例を見な
い貴重なるがゆえの約束事である。

花材●牡丹

牡丹は一種生けでいけるべきもので、他の花を根〆にしたり他の花と混ぜていけることは
ない。花形は行の姿ではあるが、格調が高く真の花である。したがって花配りも井筒配り
でいける。本来、井筒配りは同種の枝の切れ端でつくるものであるが、貴重なものゆえ、
あり合わせの木か青竹を用いる。

第二部

変化形

変化形について

変化形とは、普通の花形とはいささか異なる変わった形という意味から名づけられた花ということである。これは真行草のうち、草の真行草の花のいけ方をいうもので、草の真とは水盤または広口花器にいける一株生け、交ぜ生け、七夕七種、一重窓、一重切り、これに類した鶴首、ふくべ、小手籠、大手籠、手桶、竹の手付き筒などにいける花。草の行とは水盤、広口の魚道生け、水陸生け、二重切りや二重の窓の花である。草の草の花は月、棚の上の花、向掛け、横掛け、釣り花、雪月花の花で、これらには生花のあらゆる変化の妙味があり、花器の意匠性や飾る空間や環境との調和をはかっていけることが大切である。変化形としての草の花の真行草を図にすると、次のようになる。

草の真

広口一株生け
交ぜ生け
七夕七種

草の真

一重窓
鶴亀
一重切り
鶴首
ふくべ
小手籠
竹の手付き筒

草の行

水盤の魚道生け
水陸生け
広口

草の行

二重切り
二重の窓

草の草

棚上の花
向掛け
横掛け

草の草

釣り花
雪月花
月

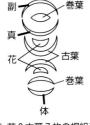

海芋 花2本葉7枚の根組み

花材●海芋

海芋の出生はかんぞうと同じく、早く出た古葉の中心に新葉を生じ、新葉と古葉との間に花茎を生ずる。ただ葉が少ないので五枚か七枚でいける。巻葉があれば、新古の間に花が咲く海芋の出生を明確に確認しやすい。作品は、体の葉と巻葉が向かい合い、その後ろ和合の外に花があり、次に古葉を挿し陰方に働かす。次に古葉を真の前あしらいとし、次に花を挿し真巻葉と副の葉で和合させる。

広口の生花
二株生け〈魚道生け〉

変化形

◆

76

花材●燕子花（かきつばた）

二株生けは、主に水物をいける場合にふさわしい花形で、一株生けの真
副と体の二つに分けていけるいけ方で、水盤をはじめとする広口の花器
にいけて、一株では全体の調和がとりにくい場合にする。二株生けには
水物ばかりをいける魚道生けと、水物と陸物とを交ぜる水陸二株があり、
いずれも真副の株を男株、根〆の株を女株と呼ぶ。

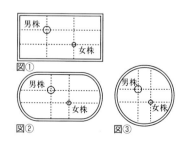

図①

図②　　図③

花材●河骨（こうほね）

魚道生けは、男株には花がなくてもよいが、女株には必ず花を用いる。二株の基本的な配置は左頁の図のようになるが、男株と花器の端を5、男株と女株の間を3、女株と花器の端までを7とする比率で配置することも可能で、要するにいかに水面をとらえ、広々とした情景をとらえるかが必要である。

二株生け〈魚道生け 交ぜ生け〉

花材●太藺、燕子花

魚道生けで、交ぜ生けにしたものがある。女株に用いた花物の一部を、真副の男株に交え
て挿したり、男株に用いた一部を女株に用いたりする場合がある。

二株生け〈水陸生け〉

花材●夏櫨、燕子花
<small>なつはぜ</small>　<small>かきつばた</small>

　水物と陸物を二株に分けていけたものを水陸生けという。水盤または広口にいけ、魚道生
けと同様であるが、前方を水と見なし後方を陸と見て、男株の前に陸の証として石を置く
ことになっている。

二株生け〈水陸生け〉

花材●夏櫨（なつはぜ）、燕子花（かきつばた）

　水盤広口にいけた水陸生けで、三等分よりややうちに寄せて挿すほうが調和がよいようである。花器の底の部分より、挿し口がはみ出ないよう配慮が必要である。

｜一重生け｜

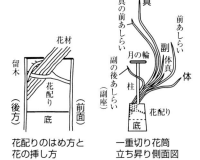

花配りのはめ方と
花の挿し方

一重切り花筒
立ち昇り側面図

花材●燕子花

一重生けは草の真の花形になる。花器の多くは竹製で、側面をくり
抜いた窓にいける。竹製に限らず焼物、木製等あり、これに類する
花器として鶴首、ふくべ、小手籠、大手籠、手桶、竹の手付き筒な
ど、これに類していける。

|一重生け|

花材●木蓮

一重生けは、大別して三つに分類できる。①窓の中だけに小さくいける。
②窓の外にふり出していける。③上部の中心まで真の先を戻していける
(図参照)。また一重切り花筒は、柱があるため花配りも普通の生け方と
異なり前を下げて用いる。

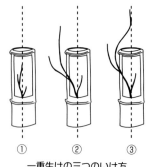

一重生けの三つのいけ方

花材●梅

変則的一重生けで、いけ方も花器との調和をはかり、二重切りの上の重と同様のいけ方とする。

変形
一重生け

変化形 ◆ 84

花材●捨て菊

普通の一重生けは柱があるため、置き生けの場合と異なり真の腰を前にふり、立ち昇らせ、副は真の後ろに挿し、前角にふり出す。真副を外にふり出すが、柱の一ヵ所よりふり出し、体は窓の中におさめる。この作品は、前作同様二重切り上の重のいけ方に準ずる。

花材●燕子花

浦島のいけ方は、一重生けのいけ方同様にいける。副を後方にふり出すこともできるが、
前副のほうが立体感もあり、調和がよいと思う。

一重生け鶴亀〈仙鶴、金亀〉

花材●木瓜、白玉椿

　めでたい席にふさわしい花である。いけ方としては、仙鶴のいけ方は一種生けと同様にいける。金亀のいけ方は、二重生けの上の重や棚上の花と同様にいける。仙鶴の方で真と副、金亀の方で体とするのであるが、それぞれ三儀を備えることが習いとなっている。また、体である金亀を少し前に出すこととなっている。

変形
一重生け〈鶴首、仙鶴ともいう〉

変化形

◆

87

花材●燕子花

一重生け同様にいけるが、85頁の浦島と同様である。

二重生け

花材●連翹(れんぎょう)、アイリス

二重生けは、草の行の花形で二重切り花筒にいける。焼物、木製のもの
や二重窓などが同類のいけ方になる。いけ方は三つに分類することがで
きる(図参照)。上が本勝手の場合は下が逆勝手となり、上が逆勝手の場
合は下が本勝手となる。上で真副と体座、下で体となり三儀を備える。
体座は花器の横幅を出ないよう、下の体は上の重を越さぬよう互譲の心
でいける。作品は体座がいささか長い。

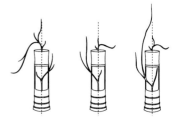

二重生けの三つのいけ方

二重生け

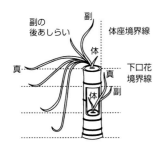

花材●燕子花^{かきつばた}

二重生けは、上が大きい場合は下を小さく、下が大きい場合は上を小さくいけるのが定法であり、上下に用いる材料も木物と草物、陸物と水物、色彩的な配慮がなされるが、上下とも燕子花でいける方法があり、下の燕子花が上にまで昇ることも許されている。

二重生け〈雲龍〉

花材●山茱萸、紫蘭、赤椿

二重切りの変形で、雲龍という花器で、二重生けの場合と同様にいける。四十一世専明宗匠もいけられている。二重生けは三種類までの花材が用いられる。

二重生け

花材●燕子花

二重生けは、上口を大きく下口を小さくいけることが建前になっているが、下口をも大き
めにいけることがある。中菊を上下にいけるときと、燕子花を上下にいけるとき、紅白の
梅を上下にいけるときに限り許される手法である。この作品は燕子花の上下で、ときには
下口の燕子花が上口を越す場合もある。

|二重立昇り生け|

花材●木瓜、白椿

二重生けの立昇り生けである。下の重の真副は、柱を一ヵ所で切り大きく立ち昇り、体先
は窓を出ないように座として軽くいける。上の重が体であるが、その中にも三儀真副体を
ふまえていけることになっている。

｜二重生け｜

花材●山茱萸、紫蘭

上の重で真副、体座をいけ、下の重で体とするが、この中に真副体の心いれが必要である。
その体を窓の外にふり出す場合と、小さく窓内におさめる場合がある。これは後者である。
上の重の体座がいささか長いが、下の重の花が窓内におさまっているので、本則ではない
が許容される。

｜二重立昇り生け｜

花材●枝垂柳、白椿、嫁菜

同じく立昇り生けである。下の重の白椿は体として窓のうちにおさめる場合と、体真のみ
外にふり出す場合とがある。

┃二重立昇り生け┃

花材●梅、赤椿

二重生けの変化したもので、上口を小さく下口を大きく立ち昇らせた生花である。下口の
花が真副で、上口の花がそれの体である。下口のいけ方は一重生けの場合と同様であり、
上口は二重生けの場合と同様のいけ方をする。ただ小ぶりにいけるのみである。下口の真
の傾斜と上口の真の傾斜が平行になるようにいけると、美しく見えて好ましい。

|二重生け|

花材●蔓梅擬（つるうめもどき）、寒菊（かんぎく）、水仙（すいせん）

二重生けは、上口を大きく、下口を小さく上口の体として軽くいけるのが本則である。また、下口は小さく窓の内だけにいける場合と、少し大きく窓の外にさし出す場合とがある。この作品は前者で、真は傾けずに立て、副は水仙の出生に従い前角にふり、他の花材ならば後にふる。窓の四方のどこにも触れぬようにいけ、上口が本勝手なら下口は逆勝手に、逆勝手なら本勝手にいける。

|二重生け|

花材●紅梅、白椿
<small>こうばい しろつばき</small>

二重切りの花器の上の重に花をいけ、下の重に何も花をいけないでおく場合と、下の重に
のみいけて上に何もいけない場合がある。これを所望の花といって、来客のときや先輩、
師匠に所望し、一瓶をととのえる花である。この場合、いけない重に必ず水を七分入れて
おくことが約束である。また炎暑のころ、上に水ばかりを張り、涼感をもてなす趣向とす
るものでもある。

｜二重生け｜

花材●白梅（はくばい）、水仙（すいせん）

変則的ないけ方で、立花の高請や大内見越あるいは左体の応用のようないけ方というか、
内副が真となっているというようないけ方で、四十一世専明宗匠の作にこのような作品図
が残っている。

横掛け

逆勝手床の横掛

真の先は床の
向こう隅へ向ける

副
体

真

又木配りは床柱の
ほうを向けて入れる

花器の正面

副
真
体

本勝手床の横掛

真の方向

柱

花器

カマチ

花材●昼顔（ひるがお）

横掛けは、六畳以下の小間にいけるのを本来とする。床柱の横にある釘に寸切や根竹、尺八、獅子口、小さい手籠に小ぶりにいける。床に掛ける花入の高さは100〜120センチほどで、真は床の後角にふり、副は真の後角に挿し、真に添わせ立ち昇らせる。体は床縁より出ないようにふり出していける（図参照）。花配りの入れ方も、本図の場合と床正面方向に斜に入れる場合の二説がある。

┃横掛け┃

花材●藤

根竹で獅子口の花器で、口が非常に狭いものがある。このようなときは体はずしにしてととのえる場合も多い。

横掛け

花材●燕子花

横掛けの釘の高さは、押板から100〜120センチくらいとされている。真の長さは花器の長さの1.5〜2倍くらいとし、大垂物などはそれより長くてもよい。花配りは前を下げ、置き生けの場合と反対になる。傾斜しやすいためである。

|横掛け|

花材●燕子花（かきつばた）

この作品のような獅子口など、窓の小さいときや体が挿しにくいときは真に添わせて外に
出して働かせてもよい。古図などでは体はずしの例も多く見られる。狭い空間であっても、
花器の縁のどこにも当たらないようにいけることが大切である。

┃横掛け┃

花材●梅花空木、都忘れ

　横掛けは、懸崖の姿を横から眺めたもので、向掛けや二重生けと同様の姿である。ただ真
も副も後ろにふり込む。床縁から外に花を挿し出すことを嫌うからである。真は床の後隅
に向け、副は真の後ろに添わせ、しばらくして離して立て、枝先を引き戻し瓶口のあたり
で止める。体は真の前角に挿し、床縁より前にあまり出ない程度に軽くふり出す。

|向掛け|

向掛けは、小間の花として掛け物のかわりに用いられるので、壁に打ち込まれた蜷釘に掛ける。小間でもあり、釣り、掛けの花は軽くいけることが望ましい。可憐な昼顔など風情もあり、軽やかで好ましい。蔓物で一人立ちができないため他の枝に纏わせて用いる。

向掛け

花材●連翹
（れんぎょう）

体は窓のうちにおさめ、副と真を外にふり出したものである。この場合、花器を見切って
ふり出すところは一ヵ所。副は真の動きに同調し、添う場合と途中から分かれ立ち昇る場
合の二つがある。垂撥は床には掛けず、花展などの会場に掛ける。また池坊では、板に溝
のないものが本来である。

向掛け

花材●穂咲下野

　向掛けの花は横掛けと同様小間の花で、床の正面の釘に掛け小ぶりに軽くいける花である。
釘は床の正面真中に100～120センチほどのところに打ってある。向掛けは花の後方は壁で、
枝を後ろにふり出せないからやや前へ傾斜させていける。

向掛け

花材●連翹、都忘れ

初めに真を軽く挿し、逆勝手の場合は右の柱のほうへふり出し、副は真について立ち昇らせ、体は小さく手前に挿す。

|向掛け|

花材●ベル鉄線

向掛けの花は、軸物と同様の役割をするもので、床との映りや部屋全体の調和、季節感等に配慮が必要である。もちろん軸は用いない。

|向掛け|

花材●穂咲下野
(ほざきしもつけ)

向掛けは、真副を器の外にふり出し、体を窓のうちにおさめる。このとき体の部分は、窓
のどの縁にも当たることなく、限定された空間にうまくおさめることが大切である。

変化形

◆

110

外来種であろう。近年新しい花材が多く渡来してきている。その性状を観察し、積極的に
とり上げることも必要である。

花材●虎の尾

向掛けの場合、小間の花なので軽くいける。この作品のような小草も好花材となりうる。

花材●撫子

向掛け同様にいける。掛けるものを置き生けにしたものである。

変形
向掛け〈二重切り花筒〉

花材●萩(はぎ)、杜鵑草(ほととぎす)

二重生けのいけ方とほぼ同じであるが、後方に枝がふれないのでやや前方に傾斜する。

変化形

◆

113

花材●ヒペリクム

尺八の花器は、楽器の尺八に似たところから名づけられた花器で、本来向掛けまたは横掛け等に用いられるものであるが、この作品の如く置き生けにし懸崖にいけることがある。もちろん花器も細く軽いので、それに調和するよう数少なく軽くいけることが大切であり、小間の花である。

｜月｜

花材●燕子花^(かきつばた)

いけ方は向掛けと同じであるが、月型の花器の形と調和をはかるうえで、二つのいけ方が
ある。一つは真副を月の外にふり出し、体を窓のうちにおさめるいけ方と、真だけ外にふ
り出して副と体を窓のうちにおさめるいけ方があり、いずれも真を斜め前方にふり出し、
花器のどこにもふれないように注意していける。

花材●梅

月の生花は、あたりの草木に月が皎々と輝いている風情を表現したもので、そのいけ方は
向掛けと同様である。真副を月の外にふり出したいけ方で、真は懸崖とし、副の梢は鎖に
添って立ち昇り、その梢は鎖の手前３〜６センチほど前に置く。体は窓のうちにおさめ、
体先は月の円弧に添っていける。

花材●露路菊

変化形

◆

117

窓のうちに副と体をおさめ、真のみ外にふり出していけた例である。真の長さは花器の1
〜1.5倍くらいで、副は三分の二、体は三分の一を目安にするが、窓のうちに副を入れる
場合はやや短くなる。

変化形

◆

花材●山茱萸

山茱萸の古びた枝が蛇行し、あたかも月にかかる雲を連想させる。風流とはそうしたもの
である。線を強調したためいささか枝を切りすぎて趣を欠いたが、生花は線を美しく見せ
る様式ともいえる。

| 月 |

花材●蔓梅擬、浜撫子

月の真の長さは、月の直径の1〜1.5倍くらいで、蔓梅擬などの大垂物はそれより長く用
いてもよい。この場合は釣り方を普通より高くして月を見上げる気持ちでいける。

| 月 |

変化形

◆

120

花材●萩

月といえば秋の月である。萩を添えることによって、仲秋の名月が思い描かれる情趣の深
いものである。

|月|

花材●梅

寒空に冴え渡る月も、梅花を添えることにより、早春の気配たちこめて情趣ひとしおである。

花材●穂咲下野<small>（ほざきしもつけ）</small>

二重生けの上の重と同じいけ方であるが、真副の外へのふり出し方は、花器の一ヵ所から見切ってふり出す。花器に枝葉がふれないようにすることも大切である。

雪月花〈遠池生け〉

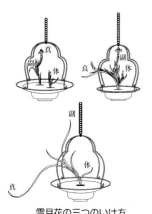

雪月花の三つのいけ方

花材●燕子花_{かきつばた}

花器は松風といって、水盤として置き生けにも用いられる。その皿を雪輪の釣り手で釣り、釣り皿を月と見立て、花を入れて雪月花と名づけ意匠化したものが雪月花である。上のいけ方を遠池生けという。

|雪月花|

花材●梅

季節に関係なくいけるが、特殊な形をしているためにいける花材が限定される。雪月花には三つのいけ方がある。（前頁の図参照）

雪月花

花材●露路菊

乱れ咲く晩秋の菊は、やはり懸崖の姿がふさわしい。雪月花ともよく調和する。

雪月花

花材●猿猴草

猿猴草は水草で、5センチばかりの小葉が15〜20センチくらいにのび、叢生した葉の間から花茎をのばし立つことなく横に倒れ、垂れ下がる性質をもつ。したがって釣り生け、とくに雪月花にふさわしい花材である。銀宝珠と同じように挿す。異なる点は、花が横に倒れることだけである。

棚上の花

花材●菊

違い棚や一文字棚、地袋の上、青楼棚にいけ、花器は獅子口や胴のはった壷などに入れる。
向掛けと同様にいけるが、違い棚の上には上の棚の下座に寄せて、青楼棚の場合は中央に
飾る。

棚上の花

花材●木瓜

前頁同様、作例は一種生けになっているが、根〆を他の花にして二種生けにすることもできる。体は窓のうち、真副は一ヵ所でふり出し、花器のどこにも触れないようにすることは一重、二重、向掛けと同様である。

交ぜ生け

花材● 薄、女郎花

交ぜ生けは、とくに秋草をいけるのにふさわしく、千草の乱れ咲く風情を表すのに最適である。二種のいずれにも真副体の三儀をそなえ、挿し口は混同することなく上方で交ぜ合わせるが、一方が強ければ他方は弱く、互いに強弱のある部分の譲り合いと協調とによって一瓶をととのえるものである。花のあるものとないもの二種の交ぜ生けは、花のあるものを前に用いるが、前を高くする場合と低くする場合の二つに分類される。

|交ぜ生け|

花材●薄、桔梗

交ぜ生けは、花のないものばかりではいけられず、花のあるもの二種類でいける場合は、どちらかといえば低い感じの花や、花らしい花のものを前に用いる。交ぜ生けの興味ある内容が水草にも応用されて、一株または二株（魚道生け）などに用いられている。花器は秋草には籠、水草には水盤、広口花器が最もふさわしい。

花材● 薄、桔梗

手付き籠の場合は、手付きの中の空間にぴったり当てはまるようにいけることが大切である。

｜七夕七種｜

変化形

◆

132

花材●萩、尾花、葛、撫子、女郎花、藤袴、朝顔

七種のいわれは、奈良時代の歌人山上憶良の詠んだ歌二首からとったとされている。秋の野に咲きたる花を指折りかき数ふれば七種の花。萩の花、尾花、葛花、なでしこが花、女郎花また藤袴、朝顔が花。ここで問題になるのは、現在の朝顔は平安時代に薬用として中国より渡来したもので、奈良朝にはなく、桔梗を朝顔と呼んでいたという説がある。平安初期の「新撰字鏡」という字典に「桔梗は加良久波又は阿佐加保」とあり、万葉集に朝顔の歌が五首ありその一首に（朝加保は朝露負ひて咲くといえど夕景にこそ咲きまさりけれ）をあげて桔梗説を主張する人もある。池坊では朝顔を用いることになっているが、桔梗を用いた例もあげておく。

七夕七種

花材●萩、尾花、葛、撫子、女郎花、藤袴、桔梗

配置構成は前作と同様であるが、朝顔でなく桔梗を用いている。また七種は、秋草特有の
嫋々としてたおやかさがあり、七種を一瓶に入れると、細かすぎて煩雑になりやすいため
葛の面で中央部をしめるとまとまりやすい。この作品はその例である。また桔梗と撫子の
位置を入れ変えることも面白く、その場合は桔梗の体、撫子の陰方下段となる。

｜七夕七種｜

花材●萩、尾花、葛、撫子、女郎花、藤袴、桔梗

七夕七種の配置構成は、多様に組み合わせられるが、おおよそ次のような点に注意してい
ける。萩や尾花の垂れ物、朝顔や葛などの蔓物を一ヵ所に用いず、それぞれの適所に働か
せてまとめる。尾花のような丈高いものは真に、女郎花、藤袴などは中段の正面または陽
方や陰方に用い、蔓物は尾花や藤袴、女郎花などに巻きつけて副先や真の陰方後あしらい
に用い、撫子のような低いものは体に用いるのが自然な感じである。

真副の間遠き花

花材●銀宝珠
　　　ぎぼうし

晩春叢葉の中から花茎を抜き出して咲く銀宝珠は、その出生を生かし真副の間遠き花とな
る。葉に主体が置かれ、葉で三儀を象る。大葉物は一枚一枚が明確に認識されるので、陰
の葉を一枚多く、真の葉の前後に同数の葉をあしらうのを基本とするが、銀宝珠や海芋な
ど花とともに用いるのは逆に陽葉を一枚多く用いる場合がある。後遣いといって特殊な用
法である。この作品はその例である。

真副の間遠き花

変化形

◆

136

花材●銀宝珠（ぎぼうし）

銀宝珠は葉の和合の中から花が出るのではなく、叢葉の中から出る。したがって花は二本一ヵ所にまとめて挿す。花二本が真で、副、体は葉ばかりで横幅の広い形にまとめる。したがって花器も丸形の広口がふさわしい。このいけ方に似たものに紫苑、大葉子、貴船菊、石蕗、猿猴草、ガーベラ等がある。

（後）
副
花2本
真
体
（前）

銀宝珠の根組み

真副の間遠き花

花材●紫苑（しおん）

　紫苑は、花は和合の中に出ず、葉は葉、花は花と別々に生じる。およそ銀宝珠と同様にい
ける。葉は奇数で、陰葉一枚多く花は二本に限り真とみなし、真の葉はそのあしらいで、
副と体は葉ばかりで形づくる。花器は丸形の広口がふさわしい。

真副の間遠き花

花材●アガパンツス

アガパンツスは株葉物で、その出生が株になっている。このようなものは真副で一株、体
で一株になるようにいける。アマリリスと違い葉の和合の中に花を生じるので、その出生
に従っていける。

◆ 第三部 ◆

生花別伝

◆

生花別伝について

生花別伝とは、生花の基本を充分理解し、やりつく
した人にのみ可能な花とされている。その理由は一
定の形がないことで、その時々の草木の自然の枝ぶ
りによって、自在に形づくられるところに難しさが
ある。無理なくその草木の個性が発揮され、味わい
深いものでなくてはならない。しかも生花の品格と
息づく生命の響きが、見るものにじかに伝わること
が大切である。「規矩を定めて賞すと云えども当意
即妙専一に」というように、約束があって約束がな
い、形があって形がない。まさに相反の合一であり
芸の蘊奥_{うんのう}であり、永い修練の結果到達できる道であ
る。またいけばなは、草木からの感動が大きな制作
の要因となるが、その他飾る環境（書院、浅床、主
客の位置、小間、広間）に左右されたり、花器、心
情など幾多の要因によって形成される。

上中下三段流枝〈上段流枝〉

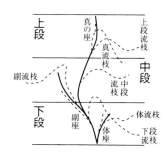

花材●梅

上段流枝には役枝の真を流す場合と、真のあしらいを流す場合との二つがある。役枝の真を流す場合は、自ずと垂れ下がるときに用いる手法で、流れた後真の位置が空虚になるので、他の枝で真の座をととのえる。ほどよい付き枝があれば用い、ないときや葉物の場合は別の物を軽く用いて真の座とする。

上中下三段流枝〈上段流枝〉

花材●燕子花

流枝の枝は一ヵ所に用い、場合によっては二ヵ所用いてもよいが、一方を陰方、一方を陽方にとバランスを考えることが大切である。作品は陰方後あしらいを流したものである。

上中下三段流枝〈上段流枝〉

花材●連翹
（れんぎょう）

上段流枝のうち、真のあしらいを陰方後方に流した場合である。陰方の流枝を引き立てる
ため、副は真を抱え込むように立ち昇らせたものである。主眼は流枝の枝であり、この主
眼の枝をいかに生かすかが大切である。

上中下三段流枝〈上段流枝〉

花材●木瓜

上段流枝のうち、あしらいを流したものである。

上中下三段流枝〈中段流枝〉

花材●梅

中段流枝は、役枝の副を流す場合と中段のあしらいを流した場合があり、陽方に流すとき
もあれば陰方に流すときもある。作品は役枝の副を流した場合である。

上中下三段流枝〈中段流枝〉

花材●連翹_{れんぎょう}

真の付き枝を、前に大きく流した場合である。この流枝の力が副の位置を占めているので、副座を小さくあしらってみた。その時々の枝ぶりを生かすように働かせることが、この別伝の妙味である。

上中下三段流枝〈中段流枝〉

花材●梅

中段流枝のうち、役枝としての副を流した場合である。前作の流枝は高位置から副を出し下方に流したものであるが、この作品は比較的下段から出し、付き枝で立ち昇らせ、副の空間に充実をはかった。

上中下三段流枝〈上段流枝と中段流枝〉

花材●燕子花

流枝は二ヵ所まで可能で、一方を高く一方を低く、一方が強ければ一方は弱く陰方陽方に
ふり分けていける。

上中下三段流枝〈下段流枝〉

花材●燕子花

下段流枝に三つの手法がある。役枝の体先を流す手法と、真の付き枝の体で流枝にする場合と、真の下段から体を乗り越して流す手法とに分類できる。体で流枝とする場合は、体座を挿し、次に流枝を挿し流すのである。下段流枝の真は常の姿でよいが、副は軽く真を抱えるように挿し、下段の流枝が目立つようにととのえる。

上中下三段流枝〈下段流枝〉

生花別伝

◆

150

花材●連翹

体先を流した例である。副を抱え込むようにすると、体流枝の枝の流れが強調されて好ましい。

上中下三段流枝〈下段流枝〉

花材●山茱萸_{さんしゅゆ}、繻子蘭_{しゅすらん}

下段流枝のうち、真の付き枝で体をつくり、流枝とした手法である。根〆は普通であるが、
やや根〆を横振りにせず前振りとし、流枝の働きを効果的にする。

上中下三段流枝〈下段流枝〉

花材●花万作、金盞花

下段流枝のうち、真の下段のあしらいが前の根〆の上を乗り越えて流れ出し、根〆は小さくうずくまるようにいけるものがある。小さい根〆ではあるが二本以上用い、狭い空間にゆったりといけたい。この作品は、根〆に金盞花の蕾二本と開花一本を用いている。

前副

花材●枝垂柳、水仙

この前副は、床が狭く奥行きが浅く常の副が用いにくい場合や、草木のあり方によって用
いられるいけ方で、好んでいけるべきものではない。副を真の前に用いる関係上、真の陽
の面は常の生花とは反対に副と和合するため、陽と陽の面が向き合うようにする。副が前
にくるため後ろが淋しくなるので、座を置くことになっている。作品は、付き枝が前方に
ふり出され高いところから出ているため、柳の幹で後角に副座として用いた。

花材●大毛蓼<small>（おおけたで）</small>

副に用いる蓼の枝ぶりが、後ろにふり向けると裏になり、前に持ってくることによって味
わい深いものになるので、前副にいけたものである。枝の持ち味を生かすのが、とくに生
花では大切である。

前副

花材●木蓮

床の奥行きが浅いときなどにも、この前副を用いる。そのとき付き枝があればそれを利用するが、ないときには別の枝を真の前に挿し、前角にふり出して副とする（一重生けの副の扱いと異なる）。この作品はこの手法によるものである。もちろん真の陽と副の陽が向かい合い、腰も前角につける。真の後ろに副座一本を加える。

二方面生花〈表〉

花材●木蓮
_{もくれん}

生花は普通正面の一方から見るものであるが、書院などに置いて前から鑑賞し、また後ろからも鑑賞するのに不都合のないようにいける生花で、一種生けと二種生けの場合がある。

二種生けの場合は、草の縁が切れないよう前から後ろまで続けて挿すことが大切である。

書院の花は、部屋の内側が正面となり、奥行きの無い場所ゆえ前副となる。

二方面生花〈裏〉

花材●木蓮

前作を裏から見たもので、体先と真の間がすきやすいので、表からは目立たなくとも、間
をつなぐ小枝を入れることが大切である。後副となる裏面は、通常いけられる生花の姿と
変わるところは無いが、表面において副座として入れたあしらいは、裏面ではうまく副の
前あしらいに見えるように整える。二方面生花は、今日では四方面から見ることのできる
洋室などにもいけられる。その場合は、奥行きを考慮することはなく、表面からは通常の
生花の形とし、裏面からは前副の生花として見えるようにもいけられる。

花材●山茱萸(さんしゅゆ)、菜の花(なのはな)

　根〆を用いた二方面生花の場合は、根〆の花は後ろまで陰方に縁を続けて挿す。前から見て陰方下段に当たる花を後ろから見た場合は体に、前から見た体先を後ろから見た場合には、陰方下段になるようにいけるのである。

二方面生花〈裏〉

花材●山茱萸、菜の花

前作のものを裏から見たもので、前副となる。前から見るよりも副が強くなるので、両面
生花は、副を少し短く用いるとよい。前副の前に、真の前あしらいになるよう一～二本入
れるとおさまりがよい。

｜副はずし｜

副はずしは三儀のうち副を略して、真と体の二つで一瓶をととのえる生花である。副はは
ずすが、真の腰を利用したり小枝で座とし含蓄のあるようにいける。侘びた味わいが大切
である。

｜副はずし｜

花材●燕子花

真のたわみと花を陽方に働かせることにより、副をはずし雅味を出したものである。

｜体はずし｜

花材●菊

体はずしという生花は役枝の体を略し、真と副の二つの役枝で一瓶をととのえる生花で置き生けにいけるが、掛けにもいける。三儀のうち、役枝の体を除いた姿ではあるが、ささやかな体座を設けることは必要で軽く用いる。

｜体はずし｜

花材●蠟梅^{ろうばい}

副はずし、体はずしは茶花の花のことといわれ、侘びた雅味が大切で、なかなか難しい花
である。真のたわみに風情と、蠟梅らしい性があると感じてできた作である。

|体はずし|

花材●山茱萸<ruby>山茱萸<rt>さんしゅゆ</rt></ruby>

枝の味わいを生かし、侘びた感じを出すのはなかなかに難しい。副のたわみは味わいがあるが、真のたわみにはいささか無理があるようである。素直な姿、安らかな姿は、池坊の美感の特色である。とくに生花は、かすかなたわみに生命の証を見いだし、とらえることが大切である。

｜体はずし｜

花材●黄千両（きせんりょう）

横掛けは小間の花で、侘びた感じにいける。わずかに一〜二本の枝を軽く用いるもので、体はずしなどもよく行われる花である。根元の一枚の葉が体座である。

左に体をふりいける花

花材●山茱萸(さんしゅゆ)

普通右へ出す体（本勝手）を左へふり出していける生花を、俗に左体という。普通の座敷のつくりと異なった主位客位が反対になるような場合とか、貴人を招いたときその座の位置が変わったときなどにいける特殊なものということができる（図参照）。

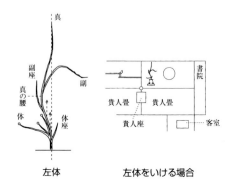

左体　　　　　　左体をいける場合

左に体をふりいける花

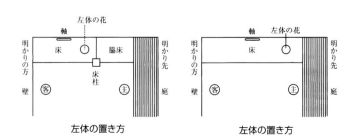

左体の置き方　　　　左体の置き方

花材●大毛蓼

左体の生花は、真の腰深くするのが普通である。た
だし花材にもよる。二種で根〆をする場合の体真に
二つの場合があり、体先だけ陽方にふり体真は常の
位置、陰方に置く場合と、体真まで陽方にふり出す
場合とがある。

左に体をふりいける花

花材●梅

真の腰深く撓め、それにともなって陰方に副を出し、陽方には軽く副座を置く。陽方に体を置き、陰方に体座を置く。座なくば正風体の意にかなわずとある。

あとがき

　かにかくに渋民村は恋しかり　おもひでの山　おもひでの川
　　　　　　　　　　　　　　　　　　　　　　　　啄木

　年のせいでしょうか、この頃ふる里が懐かしく、何にとてない時代でしたが、桑の実や野いちご、ざくろに柿の実と四季折々の果実を取り、蛍狩りをして麦わら籠をあみ、竹馬や独楽や、めんこで暗くなるまで遊んだものでした。それだけ自然とのふれ合いが多かったのでしょう。尾花が一面におい繁った荒野に立って山寺の鐘を聞いたあの日、夕日の沈む山あいで聞いたあのかなかなの声。しみわたるような悲しさと淋しさを覚えたあの日あの時、それはなにものにも代え難い思い出であり、わたしの宝物です。それに引き換え、急きたてられるように追われて人混みの中へ、外界と遮断されたコンクリートの中で一日を過ごす昨今、ゆったりと自然と対峙することもなく暮らす毎日、本当は腰を据えじっくり物を見、物を考えることが大切だと思います。現代社会の仕組みそのものが大きく変わって来たのかも知れません。そのせいもあってこの作品集を制作するにあたり、しみじみ雅味の出ない自分の未熟さを痛感しています。また一からの出直しと決意をあらたにした次第でもあります。最後になりましたが、こうした機会をおあたえ下さった専永宗匠に心からお礼申し上げますとともに、この出版のためにお力添え下さった方々に深く感謝申し上げます。

　2000年1月1日

　　　　　　　　　　　　　　　　　　　　　　　　柴田英雄